Chapitre

ISBN : 978-2-02-096905-5
N° 096905-1

Loi n° 49-956 du 16 juillet 1949 sur les publications destinées à la jeunesse.

Anne Poiré

LE JOURNAL DE MA SŒUR

Pourquoi j'ai écrit ce livre...

La mort change beaucoup de choses dans notre vie comme dans celle des autres. Par chance, j'ai encore mes six frères et sœurs mais, en cinquième, un de mes copains n'a pas survécu à une crise d'asthme. Malgré la trachéotomie pratiquée par les pompiers, il s'est endormi pour toujours. Je pensais probablement à ce garçon en rédigeant ce roman. Et à sa famille, qui a continué à vivre après son départ. Heureusement, on n'est jamais tout seul ; entre les amis, les voisins, les profs et les médecins, on peut retrouver un équilibre, et c'est pour cette raison que j'ai eu envie de raconter l'histoire de Patrice.

Anne Poiré

1

Tout a commencé, ou plus exactement tout s'est terminé, la veille des vacances de février, le vendredi. Je sortais du cours de français. Il était midi juste. Papa stationnait face à l'arrêt de bus, dans la Fiesta rouge. Toujours ponctuel.

Pas comme Julie, ma sœur.

Cette bêcheuse était en première. Depuis qu'elle était entrée au lycée, elle se prenait pour une star. Avec ses super baskets, dans son jean moulant, les garçons la sifflaient, parfois. Elle passait des heures devant la glace de la salle de bains. Le comble, c'est qu'elle était la meilleure de sa classe. Les profs, à la réunion de fin de premier trimestre, avaient félicité papa et maman. « Une parfaite adaptation au rythme exigé ! La préparation de l'examen ne posera aucun problème… » Mes parents étaient excités, radieux, en rentrant. Ils l'admiraient. Ce n'était pas du tout pareil lorsqu'ils étaient revenus de la mienne de rencontre. Je n'ai jamais franchement adoré l'école, ce n'est un secret pour personne !

Julie était à la traîne.

Pour partir au ski, elle serait prête à nous retarder : elle n'appréciait ni la montagne ni le sport en général. Et puis, surtout, elle était amoureuse. Elle sortait avec Jonathan, un terminale qui n'arrêtait pas de l'embrasser. Je les voyais dans la cour, même si elle faisait comme si je n'étais pas là lorsqu'elle me croisait.

Ma sœur n'avait jamais admis de ne pas être fille unique. Je n'y étais pour rien si mes parents avaient décidé de lui donner un petit frère !

J'ai rejoint mon père en courant. Nous l'avons attendue en bâtissant des projets géants :

– Cette année, on descendra ensemble une piste noire ! m'a-t-il annoncé.

J'avais un peu peur. Mais si papa le proposait, c'est que j'en étais capable désormais : confiance totale entre nous. Nous avons parlé de mes nouveaux skis.

– On les laissera chez les Delgadez, en partant.

C'étaient des amis à la cave accueillante. Depuis le temps que nous louions à Val-d'Isère, nous avions nos habitudes. Tous les ans, nous laissions nos affaires chez eux.

Mon père commençait à s'impatienter. Il pianotait sur la portière, nerveux. Il voulait prendre le volant au plus vite : la location démarrait le lendemain et, au prix du chalet de l'Iseran, il ne fallait pas flâner. Nos parents se relaieraient une partie de la nuit pour conduire, pendant que nous dormirions, tous les deux à l'arrière.

Ma sœur s'était maquillée durant une éternité, ce matin-là. Elle portait le pull rose, en mohair, qu'elle avait offert à maman pour Noël.

– Je peux le mettre, dis ?

Je crois qu'elle l'avait acheté rien que pour pouvoir le lui emprunter lors des grands événements. Et c'en était un : elle allait devoir se séparer de son Jonathan pendant huit jours !

Soudain, je l'ai vue qui arrivait.

Papa avait déjà regardé sa montre je ne sais combien de fois. Quand il a constaté qu'elle continuait à blaguer avec toute sa bande, assise sur les murets, les sacs abandonnés négligemment sur le sol, il est sorti de la voiture, courroucé.

– Julie ! a-t-il grondé.

Ma sœur lui a jeté un regard charbonneux. Il tapotait les aiguilles, visiblement agacé.

– Tu te dépêches ?

Elle a désobéi. Elle est restée à papoter, puis elle leur a fait la bise, à tous. Elle a serré Jonathan dans ses bras, frottant ses joues contre sa doudoune, avant de se décider à nous rejoindre.

– Ce n'est pas trop tôt… ai-je grommelé.

Enfin !

C'est là que le film d'horreur de la veille des vacances s'est enclenché. Parfois, je me repasse les bobines. À l'endroit, à l'envers.

Jamais je ne l'oublierai.

2

Je vois la scène au ralenti, alors que tout s'est subitement accéléré.

Je ne savais pas que l'on pouvait retenir autant d'éléments stupides, tel le manteau boutonné de celle qui n'était encore qu'une copine de ma classe, Violette. Ou la couleur du sac à dos qui a valsé le premier en l'air. Tomate, il était. J'ai imprimé dans les moindres détails ce qui s'est déroulé autour.

Mais l'essentiel, le moment où le bus a surgi et le choc contre le corps de ma sœur qui s'apprêtait à traverser hors des passages piétons, je ne me le rappelle pas. J'ai juste vu comme un ballon soulevé à trois mètres au-dessus du trottoir, une poupée désarticulée, déjà, avant de retomber.

Papa s'est rué vers elle.

Trop tard.

Crac !

J'ai entendu les cris. Des profs affairés circulaient devant le groupe scolaire ; l'attroupement s'est constitué, les surveillants sifflaient.

Julie venait de se faire renverser.

Je l'ai compris tout de suite. J'ai crié :

– C'est ma sœur !

Personne ne me laissait approcher.

On voyait du sang sur le bus arrêté. Le chauffeur sanglotait sur son capot, hébété. Papa avait disparu, avalé par la foule. Ma sœur était allongée à quelques mètres de moi, mon père agenouillé auprès d'elle.

Impossible d'avancer, il y avait trop de monde. Je n'ai pas pu les atteindre.

Sur le véhicule, je fixais un morceau déchiqueté du pull rose. Mohair sali.

– Maman ne va pas être contente, ai-je pensé.

Je ne me souviens plus de ce qui a suivi. C'est comme si ma mémoire était trouée, par intermittence. Certains épisodes se sont effacés.

Mme Galion, ma prof principale, est arrivée.

Tout le monde s'époumonait, gesticulait. On attendait les pompiers, le Samu.

– C'est sa sœur, m'dame !

Elle m'a pris par l'épaule. Elle sentait bon. En cours, pendant les dictées, les leçons de conjugaison, j'aimais bien quand elle passait derrière moi. Dans son sillage, des fruits ensoleillés m'enveloppaient. Apaisants. Pas comme la craie desséchée du prof de physique ! Elle a parlé quelques instants avec le principal du collège. Il était venu immédiatement. Il a hoché la tête, en essuyant son front dégoulinant :

– Oui, oui.

Elle m'a glissé à l'oreille :

– Viens, ne reste pas là.

Les adultes essayaient d'écarter les élèves. Mais c'était difficile. Ils étaient tous agglutinés autour de ce corps démantibulé que je ne voyais même pas.

– Et mon père ? ai-je demandé.

– Ne t'inquiète pas, m'a-t-elle rassuré. M. le proviseur va lui expliquer. Je t'emmène chez moi. Tu seras mieux là-bas…

On voulait m'éloigner.

Ma sœur était étendue sur le macadam.

– Papa ! ai-je hurlé. Papa !

Il n'a pas levé la tête.

Je flageolais.

Un vide infini se propageait en moi. J'ai forcé le passage. J'ai distribué des coups de pied. J'aurais mordu s'il l'avait fallu. Je me suis avancé en tremblant de tous mes membres. Partagé entre la curiosité, l'angoisse et la rage. La solitude. Malgré les surveillants, qui essayaient d'empêcher.

Derrière le mastodonte d'acier des *Rapides de Lorraine*, une petite forme toute froissée perdait son sang.

Je me suis mis à vomir.

Les autres se sont poussés, dégoûtés. Je me suis nettoyé avec ce que j'ai pu. Je me suis approché, intimidé. Mon père n'a pas réagi quand je lui ai touché le coude. Il scrutait la silhouette à la fois raide et molle de ma sœur, cherchant son regard. Elle avait les yeux ouverts.

J'ai trouvé son air drôlement lointain. Elle gémissait, indifférente. J'ai pris mon mouchoir pour essuyer sa bouche. Papa m'a arrêté, plein d'appréhension.

– Ne la touche surtout pas !

On aurait dit qu'elle était pestiférée ! Ou moi.

– Elle va mourir ? ai-je demandé, effrayé.

Mon père a haussé les épaules, sans rien dire.

– Elle est déjà morte ? ai-je ajouté.

Elle venait de perdre connaissance. Mon père m'a attrapé par le poignet :

– Ne dis pas n'importe quoi, mon Patou !

Il a baissé les paupières, préoccupé.

– Ne reste pas là ! a-t-il balbutié. Va chez Ismaïl.

Ismaïl, c'est mon copain.

– Je veux rester avec toi ! ai-je répondu.

Papa a insisté :

– Tu seras mieux avec lui, Patrice.

Mme Galion arrivait justement. Elle avait mis tout ce temps pour franchir la barrière des badauds. Elle s'est penchée sur papa, affaissé. Elle lui a chuchoté quelque chose à l'oreille. Mon père ne réagissait pas. On aurait dit un automate, d'une pâleur alarmante.

C'est affreux, un papa qui a mal.

Il était arrimé à ma sœur. Je me demandais s'il la reconnaissait. J'étais encore submergé par la nausée, mais je n'avais plus rien à vider : je n'ai pas résisté, quand la prof m'a attrapé par le bras et m'a emmené.

3

C'est ma dernière image de Julie, ce jour-là. La bouche ouverte, les yeux vides. Et ce sang, partout.

Chez Mme Galion, à deux rues du collège, j'ai pensé à appeler maman.

– Il faut prévenir ma mère, madame ! ai-je soufflé.

Mais je ne m'en sentais pas le courage.

Elle nous attendait à la maison. Les bagages étaient prêts. Elle aussi devait s'énerver. J'en voulais à ma sœur de gâcher nos vacances. Toujours un truc, celle-là. Elle l'avait fait exprès, c'était sûr, pour pouvoir aller à l'hôpital et recevoir de la visite. Son Jonathan viendrait la bécoter… J'étais certain que Julie avait tout manigancé.

– Le proviseur s'en est chargé.

Je suis allé prendre une douche et me changer.

Mme Galion m'a prêté une robe de chambre pendant qu'elle lavait mes vêtements tachés de sang et de vomi. C'était bizarre d'être chez ma prof, dans ses affaires. J'observais les moindres recoins : je pourrais frimer, à la rentrée. Je raconterais aux copains sa collection de masques africains, ses statues perlées, sa pièce avec les livres. Mieux qu'au CDI ! Les étagères étaient organisées en labyrinthe, étalant des séries entières. Elle en avait autant qu'à la médiathèque. Non, plus !

Et puis des tableaux. Sur les murs, des toiles vives, gaies, me souriaient. Avec des tissus collés, des cœurs, des amoureux.

– Je ne te le cache pas, je suis collectionneuse. C'est beau, n'est-ce pas ?

J'ai tenté d'avaler une tartine, mais je n'avais pas faim.

J'avais la certitude qu'après l'opération sèche-linge, dès que j'aurais remis mon pantalon et mon sweat-shirt, je pourrais regagner la maison. Ma sœur serait sûrement de retour. À l'hôpital, je savais bien qu'on ne nous gardait pas longtemps : lorsque je m'étais ouvert le genou en planche à roulettes, l'été précédent, les urgences avaient expédié le bandage en moins de deux. J'étais retourné chez nous en boitillant, avant même que Papa ne sorte du travail.

– Je ne crois pas que tu pourras rentrer ce soir, m'a dit Mme Galion.

Elle lisait dans mes pensées !

– Enfin, je n'en sais rien. Attendons les nouvelles…

Elle se voulait rassurante :

– C'est sûr, tes parents te téléphoneront dès que possible.

J'ai commencé à tourner en rond.

Un jour, pendant un cours, elle nous avait raconté qu'elle ne possédait pas de télévision : c'est pour cette raison qu'elle avait tout ce temps pour lire ! Elle a vu que j'auscultais sans arrêt ma montre, que je guettais le téléphone, alors elle m'a proposé de me faire la lecture, à voix haute. Elle avait compris que le français n'était pas ma spécialité ; par contre, en classe, chaque fois qu'elle mettait en voix tel ou tel texte, j'aurais pu devenir accro à la littérature. Eh bien là, pareil.

Elle m'a laissé choisir un livre. J'en ai pris un à la couverture rigolote.

Je l'écoutais, suspendu ! Au milieu de l'intrigue, l'héroïne enroulait sa tresse autour de son index, comme ma sœur quand elle réfléchissait. Ce geste machinal m'a fait penser à Julie... J'ai loupé quelques paragraphes : je n'arrivais plus à me concentrer.

Mme Galion a insisté pour qu'on fasse une pause. Elle voulait que je boive quelque chose. Elle m'a sorti un jus de fruit, mais rien ne passait. Pendant qu'elle s'activait à la cuisine, j'observais autour de moi. Son appartement ne ressemblait à aucun autre. Je me régalais dans cet univers insolite. J'ai dévoré des yeux ses bibelots : un arc-en-ciel. Chez nous, le bois verni dominait. Chez elle : du métal, du verre, du plastique, de la silicone. Des objets colorés comme on n'en voyait nulle part ailleurs.

– C'est du design ! m'a-t-elle expliqué.

Comme le bureau de Julie… Je songeai malgré moi à papa, à ma sœur. J'ai suggéré à Mme Galion de reprendre sa lecture, c'était mieux ainsi !

Elle a continué. D'aventures rocambolesques en rebondissements surprenants, je n'ai pas vu que le jour s'obscurcissait. Il était drôlement tard, la nuit noire nous enveloppait. Mme Galion a refermé son livre, elle m'a dit :

– Si on dînait, avant d'aller se coucher ?

Elle plaisantait. Mes parents n'allaient pas m'oublier là ! J'ai pris mon portable et j'ai téléphoné. Répondeur sur le mobile de mon père. Pareil sur celui de maman.

Mon pouls pulsait fort. Ce n'était pas possible.

Idem à la maison.

Dans mes mains, la sueur dégoulinait.

Je n'ai pas osé laisser de message. Pas question de les embêter. Je me suis mis à rogner mes ongles – jusqu'au sang, beurk – pendant que Mme Galion préparait une omelette au gruyère.

– M'dame, je peux appeler mes grands-parents, vous croyez ? lui ai-je demandé.

– Il ne faudrait pas les affoler, attends encore ! m'a-t-elle conseillé.

Ah Julie, vraiment la première, dans toutes les disciplines. Y compris pour susciter l'intérêt ! Trop forte, celle-là ! C'est incroyable comme on se détestait, tous les deux, parfois. Il faut dire, déjà, c'était une fille. Elle se croyait également supérieure à moi sous prétexte qu'elle avait quatre ans de plus. Et puis ses résultats scolaires... Arriver derrière elle au collège, à l'école primaire, même à la maternelle, ça n'avait pas été facile ! Quand je serai au lycée, il vaudrait mieux que je ne reste pas dans cette fichue ville. Tous les profs, systématiquement, comparaient. Sauf Mme Galion, justement. Elle ne m'avait jamais demandé quoi que ce soit, si Julie était toujours aussi brillante, ou des gentillesses dans ce goût-là, comme M. Déclas, lorsqu'il m'avait rendu mon zéro sur vingt sur les simplifications de fractions !

Bon, les grands-parents, d'accord.

Mais mes parents ? J'ai composé à nouveau les trois numéros.

Portable de Maman, tut tuuut tuuut... J'ai attendu, le cœur battant.

Portable de Papa, tut tuuut tuuut...

Maison, tut tuuut tuuut...

Ça m'a fait monter les larmes aux yeux d'entendre la voix de maman, puis celle, plus grave, de mon père, sur le répondeur. Je me suis essuyé discrètement. Je n'avais pas envie que Mme Galion devine que ça me faisait quelque chose.

Dans le fond, je commençais à paniquer.

On est passé à table.

Je n'avais vraiment pas faim. Ce n'était pas poli, mais j'ai laissé les neuf dixièmes du festin sur le côté de l'assiette. Après le dessert – yaourt à la mangue –, alors là, cette prof, c'est incontestablement la meilleure que j'aie jamais vue, elle a sorti d'un placard un sac de crocodiles acidulés pleins de colorants.

– Pour grignoter sur le canapé… m'a-t-elle dit.

J'avais tellement besoin de sucre ! Comme « remonte-moral », on ne fait pas mieux – à part les fraises Tagada ! Je me suis jeté dessus. Lorsque j'ai retourné le sachet pour vérifier que j'avais tout dévoré, je me suis soudain demandé :

– Au fait, peut-être en voulait-elle un ou deux ?

Trop tard…

Dans la chambre d'amis, j'ai repris mon portable.

J'ai hésité.

Finalement j'ai laissé un bref message sur chacune des trois lignes. Une fois de plus, Julie se faisait chouchouter.

Ils n'avaient pas l'impression de m'abandonner ?

Je n'avais jamais passé une nuit sans dire bonsoir à mes parents. Même quand je partais en colonie de vacances ou en classe verte, ils m'appelaient, le soir, pour me souhaiter de doux rêves.

Là, rien.

4

La sonnerie du téléphone m'a brutalement réveillé, le lendemain matin. Je suis capable de faire la grasse matinée jusqu'à midi si les conditions sont favorables. Mme Galion corrigeait des copies, il n'y avait aucun bruit.

– Pat, c'est maman.

Elle avait sa voix des mauvais jours.

– Je, je… Papa va t'expliquer.

– Allô, c'est papa. Hum…

Il s'est raclé la gorge.

– Heu, Patrice, mon grand…

Je n'aimais pas quand il m'appelait ainsi.

– On sait que tu es entre de bonnes mains. Heu… Tu me passeras Mme Galion, j'ai à lui parler. Je… je viendrai te voir, ou maman, tout à l'heure.

J'ai demandé :

– Et Julie ?

Je sentais qu'ils ne voulaient pas que je pose cette question.

Mais quand même, c'était ma sœur.

Les copains devaient savoir ce qui lui était arrivé.

Il y avait sûrement eu un article dans le journal, comme à chaque accident. Moi, on ne me disait rien.

Le silence m'a plus effrayé que ce que j'imaginais.

– Elle est vraiment mal ? ai-je bafouillé, soudain terrorisé, les dents serrées.

Je pensais depuis la veille, même si je l'avais vue étendue sur le bitume, que c'était du cinéma. Papa s'est éclairci la gorge. Un minuscule filet, méconnaissable, en est sorti.

– À vrai dire, mon Patou... Julie ne va pas bien.

La voix s'est brisée.

Maman a repris. Son timbre était encore plus déformé. Sans doute la ligne.

— Julie est... très... abîmée, mon biquet.

Elle n'a pas pu m'en dire davantage. Moi je désirais les voir, les toucher. Me glisser dans les bras de maman, fermer les yeux. Oublier. M'introduire dans la machine à remonter le temps.

Ils n'ont pas discuté plus longtemps.

– On viendra aussitôt que possible... Ne bouge pas et surtout sois gentil, mon Patounet !

J'étais éloigné de tout.

Totalement abandonné.

Mme Galion m'a offert un carnet émeraude à spirales. Elle m'a dit :

– Je sais que tu n'aimes pas trop écrire pour l'école. Mais là, ça n'a rien à voir ! C'est pour toi.

Elle a précisé :

– Tu peux dessiner dedans, si tu préfères.

Puis elle a soupiré :

– Moi je tiens un journal depuis que je suis toute petite. Des fois ça soulage de raconter ce qui nous arrive !

Elle n'avait pas parlé longtemps avec mes parents :

– Oui, oui… je comprends ! Je respecte votre décision !

Quand j'ai voulu lui poser des questions, instinctivement, elle a agité ses doigts :

– Ils t'expliqueront. Ne t'inquiète pas, Patrice. Tes parents ne vont pas tarder à venir te chercher.

Cette journée devait être la plus longue de ma vie. Avec les suivantes.

Pires.

J'attendais que la sonnette se mette à grésiller.

Lorsque le facteur a appuyé sur l'interphone, je me suis rué dessus. Il apportait simplement un paquet.

Je tournais en rond.

Mme Galion m'a rappelé le calepin et j'ai commencé à le remplir.

C'est comme ça que je suis devenu écrivain.

Bon, d'accord, peut-être pas aussi recherché que les vrais, ceux qui font des livres qu'on étudie à l'école, comme Victor Hugo… Mais moi aussi j'écris des histoires. Mon odyssée.

J'ai plein de cahiers dans ma chambre.

J'en parle souvent avec Violette.

Entretemps, elle et moi, nous sommes devenus amis.

J'avais repoussé sa gentillesse. Je la trouvais pourtant mignonne, sa chevelure auburn ondoyant librement sur sa nuque : la plus jolie de tout le collège.

Elle était partie, en larmes. Oui, je l'avais méchamment rabrouée, le fameux jour, après l'enterrement.

5

Parce que ma sœur est morte.

J'aurais dû m'en douter, non ?

J'en voulais à Julie de continuer à se faire remarquer. Arrêter de vivre, soudain, en pleine adolescence, me paraissait scandaleux.

J'en voulais aussi à mon père, à ma mère. Ils auraient dû m'avertir. J'aurais été plus sympa avec elle. Je lui aurais fait mes adieux…

Mes parents sont enfin venus me chercher.

Le regard de maman était lointain, halluciné. Comme si j'étais devenu invisible.

Son attitude était étrange.

– Mme Galion a passé tous mes vêtements à la machine, et puis elle m'a lu un roman super, maman… Et j'ai mangé des bonbons et…

Je crépitais. Tout enjoué de la retrouver. La voix haut perchée. Inconscient de ce qu'elle avait à me dévoiler.

Ou le refusant ?

Me révéler quoi, au fait ? Elle ne le savait pas exactement elle-même.

D'abord il y a eu ce coma.

Interminable.

C'est à partir de là, le soir de mon retour à la maison, que j'ai commencé à vomir.

– À ton avis, c'est réversible ou pas ?

Maman assommait papa de questions.

– Dans quel état sera-t-elle lorsqu'elle va se réveiller ?

Quand ce n'était pas elle, c'était lui.

– Des lésions au cerveau, à la colonne vertébrale, ça peut être grave !

Dès qu'on était à table, le cauchemar recommençait.

– Il faudrait savoir exactement ce qui a été endommagé.

Je ne digérais plus rien.

– Ce traumatisme crânien... Enfin, cette fracture du crâne... Tu penses que Julie va être aveugle ?

– Ou sourde. Qui sait ?

– Aphasique...

J'ignorais ce que signifiait ce dernier mot, mais je ne demandais nulle explication. Je filais aux W-C.

J'en avais parlé à maman. Elle ne m'avait pas pris au sérieux :

– Ce n'est rien, ça va passer.

Et papa :

– Oh Patrice, ce n'est pas le moment. On a assez de soucis avec ta sœur !

Comme si je le faisais exprès ! Depuis toujours les problèmes de Julie prenaient le dessus : quand elle avait eu l'appendicite, ça avait failli virer à la péritonite. Elle avait eu droit à des jours et des jours d'hospitalisation. Les voisins la couvraient de cadeaux. Un DVD, des jeux pour l'ordinateur… Moi, j'avais été recousu en un tour de main, puis retour à l'école illico.

J'avais l'habitude. Lorsqu'elle rentrerait, parce que j'étais sûr qu'elle allait sortir de ce fichu coma, Julie ferait encore son archiduchesse capricieuse !

Même mamie paraissait indifférente à mes tourments. Quand je lui ai signalé que je ne me sentais pas bien, elle a continué de s'affairer autour de la table : fourchettes à gauche, couteaux à droite.

J'avais eu la surprise, en arrivant à la maison, de voir ma chambre envahie par mes grands-parents de l'Aveyron, le salon occupé par ma grand-mère de la Loire.

– Et moi, je dors où ? Pas dans celle de Julie ! Je déteste sa couette, elle est lourde. Et ses oreillers sont trop mous !

Maman avait levé les yeux au ciel.

– Surtout, ne touche pas à ses affaires.

J'ai serré les poings. Pas question que j'occupe le boudoir de cette Sainte-Nitouche, ni que je lui subtilise ses trésors !

J'ai pris mon petit carnet émeraude, mon sac de couchage et je me suis réfugié dans la cabane du fond du jardin, près du ruisseau. Mais en février, sans chauffage, je n'ai pas pu y rester. J'ai terminé ma nuit dans la salle de jeux, sur un inconfortable matelas en mousse. Évidemment, j'ai vraiment mal dormi.

6

Le lendemain, papa m'a demandé si je voulais les accompagner. Il m'a prévenu :

– Elle n'est pas belle à voir, tu sais !

Mais moi, je ne l'avais jamais trouvée jolie.

Pas comme Violette. Impossible d'oublier son apparition à la maternelle, en pleine année scolaire, et ses deux couettes au cours préparatoire ! Lorsque Violette récitait devant toute la classe un poème, en détachant fébrilement ses nœuds de vichy bleu ciel et en se trémoussant d'un pied sur l'autre, c'était le paradis. Ah, ses fossettes !

– Alors, tu viens ?

J'ai eu envie de refuser. Je n'ai pas osé.

Tous les adultes me dévisageaient. Ils auraient pensé que je n'étais pas gentil. Mon cœur vociférait NON et ma bouche a prononcé :

– J'arrive.

J'ai glissé le calepin dans ma poche, un stylo. À un feu rouge, je me suis mis à écrire :

« J'en ai marre, j'en ai marre, j'en ai marre. »

J'en ai rempli des pages.

Au moment où on est entré dans l'hôpital, ma gorge s'est contractée. J'ai toujours détesté cette odeur de désinfectant, de formol, de maladie.

Chambre 108.

Je n'aurais pas reconnu Julie, si on ne m'avait pas dit que c'était elle. Elle était esquintée de partout. Les hématomes étaient nombreux. Ses joues et son menton, boursouflés, oscillaient entre le noir et le verdâtre. Les croûtes, disséminées ici et là, suintaient. Des bandages, des pansements protégeaient à peu près chaque millimètre carré de sa peau : elle avait été beaucoup recousue.

– Julie n'a pas eu mal, elle était endormie pendant l'opération ! m'a chuchoté mamie Babette, d'une voix douce, tout en glissant sa main dans ma paume.

Réanimation, machines : mon estomac s'est encore retourné.

Le chirurgien venait d'achever sa tournée. Mes parents ne pourraient pas l'interroger.

Une infirmière a parlé de signes encourageants.

Papa se cramponnait au vide.

Maman était perdue.

– Je suis là, je vais bien ! avais-je envie de leur dire.

Mais c'était comme si personne ne s'apercevait de ma présence.

Les jours se sont succédé.

Nous guettions les progrès d'une masse inerte. Les médecins protestaient que l'on ne pourrait évaluer les lésions que lorsque ma sœur se réveillerait.

– Mieux vaudrait qu'elle ne se…

– Ça ne va pas, non ?

Ma tante Zoé, fusillée du regard par maman, n'avait rien ajouté. Le présent se révélait épouvantable.

– Ce ne sera bientôt plus qu'un mauvais souvenir, dont vous rirez ensemble, tous les quatre !

Mamie Babette tentait de balayer ce désespoir. Mais y croyait-elle vraiment ? Maman reprenait des couleurs, l'espace d'un instant. La minute suivante je la retrouvais en larmes. Ou papa. Voir pleurer ses parents, c'est terrible. J'avais envie de leur donner des coups de pied. Ce n'était pas juste. C'étaient des grands. Ils devaient me soutenir. S'occuper de moi.

Même mes grands-parents n'étaient pas les bienvenus. Ni à l'hôpital ni à la maison. Quand ils se taisaient, papa martelait nerveusement la table du salon. S'ils discutaient entre eux – ou en essayant de nous inclure dans leur conversation –, mon père soupirait, furieux.

Ils avaient tort.

– Vous ne comprenez rien, bon sang !

Maman tirait sur sa jupe, en serrant les lèvres, ou elle quittait la pièce.

Ils ont fini par partir.

Je me demande si mes parents ont vu une différence.

Moi oui !

J'étais encore plus seul.

7

Cent fois, mille fois, nous avons raconté la scène à maman : papa qui s'égosillait pour que Julie daigne nous rejoindre. Ses copains qui riaient. Le car qui avait surgi par surprise. Les cris.

Maman s'en voulait de ne pas avoir été là.

Si elle était venue nous chercher, elle... Si elle avait montré moins d'impatience...

Papa se reprochait d'avoir appelé sa fille : s'il ne lui avait pas demandé de venir, si vite...

De toutes les façons, nos vacances à la neige étaient fichues. On se souviendrait du congé de février !

Nous passions tous les jours à l'hôpital. Je ne m'habituais pas. Cette image ne collait pas avec la réalité. Ma sœur, avant, n'était pas ce zombie, cette abominable momie.

Les infirmiers détournaient la tête. Les aides-soignantes semblaient embarrassées.

L'une des femmes de ménage, Mme Maïté, était très gentille. Elle nous offrait toujours un mot de réconfort, ou un sourire. Elle y croyait, elle, à la guérison. Ou bien voulait-elle juste nous réchauffer le cœur ?

Le chirurgien parlait d'examens complémentaires, qui pourraient s'avérer décisifs. Les autres médecins ne prenaient nullement le temps de nous recevoir. Ils marmonnaient des phrases incompréhensibles.

Maman affirmait qu'elle n'avait plus de larmes dans son corps, qu'elle était sèche. Deux secondes après, elle reniflait sauvagement. Elle ne me disait même pas merci quand je lui tendais des mouchoirs en papier. Papa fronçait les sourcils si je mettais les doigts dans mon nez, si je toussais ou si j'éternuais. Quant à moi, je redoutais toujours autant le moment d'entrer dans les lieux. J'essayais de respirer moins, d'emporter le maximum d'air du dehors, pour ne pas m'imbiber de ces odeurs. Chaque fois, il fallait bien reprendre un peu d'oxygène, je n'avais pas le choix.

Sur place, dans la chambre, je m'installais avec une bande dessinée sur la chaise la plus éloignée du lit. Je me plongeais dans les cascades et aventures d'Albaahmed et de ses copains. Comment leur expliquer que contempler leurs trois silhouettes repliées, chacune à sa manière, entortillait mes intestins ?

8

Le 24 février au matin, le téléphone a sonné.

J'étais tout seul à la maison.

– Mamie Babette ? ai-je lancé, dès que j'ai décroché.

Il n'y avait qu'elle pour penser à moi pour mon anniversaire !

C'était l'hôpital. L'infirmière a reconnu ma voix. Elle m'a demandé si mes parents étaient là. Papa s'était rendu à son travail pour négocier un aménagement d'horaires. Il voulait pouvoir se rendre à la clinique, la semaine suivante, lorsque ses congés seraient terminés. Quant à maman, elle avait dû aller faire les commissions. Même quand sa fille va mal, il faut préparer les repas. Comme on devait partir au ski, le réfrigérateur était vide : congélateur, micro-ondes, nous étions restés neuf jours à quasiment camper.

L'infirmière n'a pas voulu me dire pourquoi elle appelait.

Mais moi j'ai tout de suite compris.

Il fallait que j'en parle à quelqu'un.

J'ai téléphoné à Mme Galion. Elle n'était pas là non plus. Je n'ai pas pu m'en empêcher, j'ai bredouillé :

– C'est moi, Patrice.

J'ai respiré un grand coup.

– Madame…

J'ai balbutié.

– Ça y est… je crois que ma sœur est morte !

J'ai raccroché.

C'était idiot d'annoncer ainsi pareille nouvelle.

J'avais fondu en larmes en entendant sa voix tellement chaleureuse sur le répondeur. À la maison, c'était devenu suffocant.

J'ai ouvert le petit carnet émeraude.

J'ai écrit la date, en gros.

Rien d'autre.

J'ai laissé une page blanche, après.

Maman est rentrée des courses. Elle a compris, comme moi, avant même de rappeler l'hôpital.

– Et je n'étais pas à côté d'elle !

Elle se tordait les mains.

– J'en étais sûre, je le sentais…

Maman était plus que désemparée : perdue.

– C'est ma faute…

Papa nous a rejoints à la clinique.

Il a longuement serré maman dans ses bras. Ses épaules tremblaient. Soudain, il m'a aperçu :

– Qu'est-ce que tu fais là ?

Il m'a dit de retourner à la maison. Tout seul. Ou d'aller chez Ismaïl. Mon copain me manquait. Il était à Paris pour la semaine, avec son oncle. Je ne l'avais pas vu depuis le dernier cours, au collège.

– Ne reste pas là ! m'a répété mon père.

Je n'ai pas discuté.

Ma sœur était morte.

J'ignorais ce qui allait se passer ensuite, mais je n'en pouvais plus. Je me suis enfermé dans ma chambre avec une de ces fringales ! C'est vrai, je n'avais pas petit déjeuné. J'avais attendu maman sans bouger, on était parti directement.

J'ai foncé dans la cuisine.

J'ai entamé un pot énorme de pâte à tartiner au chocolat, à la noisette grillée. Je l'ai avalé en entier, à la cuillère à soupe. J'en avais partout sur mon tee-shirt. J'enfournais, jusqu'à l'écœurement.

J'évitais de penser.

J'étais content que mes parents ne soient pas là : j'avais honte d'avoir de l'appétit dans un tel moment.

Je suis allé me doucher, me changer. Mon estomac barbouillé se soulevait, douloureux. La nausée me paralysait. Mais je savais au moins pourquoi !

C'est long, toute une journée, quand on attend. Je restais là, immobile. Je reposais les jeux, les livres. J'allumais, j'éteignais la télé : je ne voyais même pas les images. Les aiguilles n'avançaient pas.

Enfin papa et maman sont rentrés, le visage tendu. Ils se disputaient. Le ton montait. Maman parlait d'incinération. Papa suppliait que l'on enterre sa fille.

Ils n'arrivaient pas à se mettre d'accord.

Maman, résolument athée, ne voulait pas de messe religieuse. Papa trouvait qu'à ses parents, à lui, il ne pouvait pas faire ça.

– Juste pour la forme !

Maman s'est obstinée. Elle chuchotait :

– On écoutera ses CD, ses groupes préférés, mais pas question qu'elle passe devant le curé !

Ils réfléchissaient.

– Et puis Pat pourra lire un de ses poèmes, qu'est-ce que tu en dis ?

Moi, on ne m'avait rien demandé.

– On n'aurait jamais dû vouloir aller à Val-d'Isère !

– Pourquoi l'ai-je appelée bonté divine ?

Ils sanglotaient dans les bras l'un de l'autre. Je suis allé me coucher pour ne plus les entendre se déchirer. Ou se réconcilier.

Excédé.

Les parents, ça doit assurer, non ?

Cette nuit-là, ils n'ont pas fermé l'œil, je pense.

J'avais un drôle de sentiment. Le chocolat aux noisettes me restait sur la conscience.

Et puis je me sentais fautif d'avoir pu aller me coucher en pareilles circonstances. Mes parents devaient en être fâchés.

J'aurais aimé parler de toute cette embrouille avec Julie.

D'accord, elle était pénible. Mais des fois, pour définir mon état, m'aider à mettre au clair, elle n'était pas mal.

On avait passé de sacrés bons moments ensemble.

Comment allais-je faire, sans elle ?

9

Ma sœur était morte.

– Tu vas te taire ! hurla soudain ma mère.

Je chantonnais sans m'en rendre compte.

– Arrête !

Là c'était mon père, frissonnant.

J'avais commencé à jouer avec mon ballon qui traînait près du canapé. Le bruit les agaçait. J'ai stoppé net. Papa s'est excusé mais c'était trop tard, j'avais des larmes plein les yeux.

Mes grands-parents devaient arriver dans la matinée. Ils avaient voyagé en train, ce qui crispait encore plus ma mère :

– Ils croient qu'on n'a que ça à faire, aller les chercher à la gare ?

Mamie Babette était déjà là. Elle me grattait le crâne, pensivement, comme à un chien de compagnie. Ça me faisait du bien.

Papa et maman se disputaient.

Puis ils se tenaient par la main, ils se caressaient l'épaule. Maman berçait papa, tout doucement.

J'avais faim, je n'osais plus bouger.

Le téléphone a sonné. C'étaient mes grands-parents.

– J'y vais ! a proposé mamie Babette.

– Emmène donc Patrice avec toi ! ont soupiré mes parents, en chœur.

J'avais besoin d'eux. Pourquoi voulaient-ils rester seuls ?

Au retour de la gare, j'ai laissé les adultes se débrouiller entre eux et j'ai filé dans ma chambre. Je suis allé jeter ma PlayStation à la poubelle. Je me suis débarrassé de mes DVD. Terminés, les extras. Je me consacrerais au collège, pour qu'ils ne soient pas déçus. Désormais, j'essaierais d'être aussi bon à l'école que Julie. Ce serait dur : elle avait du talent. Mais je m'accrocherais.

Qu'est-ce qu'ils attendaient de moi, mes parents ? Que je devienne ingénieur ? Banquier ? Président de la République ?

Médecin.

Oui, je serais chirurgien, s'il le fallait. Pour leur faire plaisir, j'étais prêt à tous les sacrifices. Je sauverais les adolescentes accidentées, parole !

Mes parents ne me voyaient pas.

Ç'a été comme ça jusqu'à l'enterrement.

Et même pire, après.

10

– Tu ne l'embrasses pas ?

Julie reposait dans une caisse capitonnée, avec des poignées en bronze et du satin, les paupières enfin fermées. J'avais toujours dans la tête son regard au moment de l'accident.

Je détestais ces fleurs posées en vrac autour du cercueil ouvert, dans leur linceul de plastique transparent.

Maman avait camouflé le cou de sa fille grâce à un petit foulard en soie, à elle. Mais je savais parfaitement ce qui se cachait dessous. Les infirmiers du Samu avaient pratiqué une trachéotomie pour l'aider à respirer. J'avais vu le trou, à la clinique. J'y repenserais toutes les nuits, longtemps.

Quand Violette est arrivée, avec ses parents, je lui ai tendu les joues, machinalement, sans me réjouir. Je rêvais pourtant depuis des années d'un baiser !

Je ne la voyais pas.

Pas plus que les autres. Tous ces gens, famille, voisins. Plein de profs. Ils étaient venus, même si c'étaient les vacances. Le proviseur s'était fait excuser : il n'avait pas une réunion, il était parti à la neige, justement. Il me demanderait de passer à son bureau, le lundi de la reprise. Avec son bronzage indécent, je ne l'ai jamais autant haï.

Toute la classe de Julie était là.

Et Jonathan.

Les copains de leur bande.

C'était insoutenable de voir ces grands qui pleuraient ! Du lycée, ça faisait vraiment du monde. On l'aimait bien, ma sœur ! Il n'y avait que moi qu'elle agaçait, alors ? Je m'en voulais, maladroit.

Je ne savais pas encore combien elle allait me manquer, en vrai.

Chaque jour davantage.

C'était peut-être à cause de moi que cette tragédie était arrivée. Si j'avais été plus gentil avec elle...

Je ne me sentais pas dans mon assiette.

J'ai refusé de lire quoi que ce soit pendant la cérémonie d'adieu. Tant pis pour la volonté de maman.

Enfin... je n'ai pas désobéi.

Je me suis simplement trouvé dans l'incapacité technique d'accomplir ce vœu. Ma voix s'est cassée, recroquevillée dans ma gorge. Je commençais à peine à muer. Surtout, à force de voir les autres renifler, quelque chose en moi s'est brisé, verrouillant toutes les vannes.

Je n'ai rien pu articuler.

C'était affreux, ces funérailles. Je n'ai jamais autant enfoncé mes ongles dans mes paumes. Après, durant des semaines, il m'a été impossible de pleurer. J'étais de bois. Un bloc de granit.

Ma sécheresse m'inquiétait. Et si j'étais devenu insensible ?

On me pressait contre les gros pulls, les vestes épaisses de l'hiver. Tout le monde reniflait. Ils n'avaient pas prévu assez de mouchoirs… Ces gens tristes me rendaient incroyablement bizarre.

Je n'ai pas eu une larme.

Depuis, je ne peux plus mettre les pieds dans un cimetière.

Ma vie avait changé : j'étais vieux, soudain.

Moi qui avais détesté ma sœur, je me métamorphosais en fils unique.

Ma sœur n'avait jamais tant compté que depuis l'accident. Mes parents ne pensaient plus qu'à elle. Je l'ignorais encore. Mais je le pressentais : il n'y aurait pratiquement plus de place pour moi dans cette famille.

La morte s'est mise à occuper un cadre imposant dans le salon. Sa photo trônait dans la cuisine, sur la table de nuit de mes parents.

Dans la salle de bains, c'est par le vide qu'elle pesait. Elle avait tellement investi les lieux, autrefois ! La star hollywoodienne squattait la baignoire, son parfum empestait, et moi j'avais à peine deux minutes pour me doucher, à la va-vite, avant de partir au collège. Désormais, je pouvais me laver n'importe quand.

11

Lorsque je suis retourné en classe, trois jours plus tard, j'ai frimé devant les copains.

– Raconte…

La plupart n'avaient jamais vu de mort. Surtout de si près ! Tous n'avaient pas été témoins de la collision. Je retraçais les moindres détails. J'en ajoutais. Je me donnais un rôle important. La prof, je leur débitais que je l'avais entraperçue en déshabillé chez elle. Et ma sœur, j'avais assisté à son agonie. Oui, elle était morte dans mes bras, en articulant mon nom !

Ou bien je me taisais. Comme avec Ismaïl. Je restais de longues heures sans rien dire.

On pouvait lire sur leur visage que les profs avaient pitié. Celle d'anglais, celui d'histoire-géo. Ils ont vite oublié, après.

Pendant un TP de chimie, Violette a passé un mot à Ismaïl.

Ce dernier était désolé de ne pas avoir été là. Sa présence n'aurait rien changé, pourtant. J'étais trop seul pour que quiconque me remonte à la surface.

Quand le message a circulé, ça m'a bouleversé : j'avais toujours pensé que Violette était faite pour mon meilleur copain, mais une tenaille encore plus terrible a broyé mon estomac.

Le papier plié en douze est arrivé jusqu'à moi : ce n'était pas à Ismaïl qu'elle écrivait !

« Pat, veux-tu que je te file le devoir de SVT, pour le recopier ? »

Je lui ai jeté un coup d'œil étonné. Violette est super bonne en classe. Une tête, quoi. J'ai secoué ma tignasse. Non, ce n'était pas sérieux. Il fallait que je m'y mette, vraiment.

« Je peux t'aider à apprendre tes leçons si tu veux ! Tu es libre, mercredi après-midi ? »

Elle a réitéré, sur un petit papier chiffonné. Le prof a failli l'intercepter, nous avons pâli.

De quoi devenir complices.

Mme Galion, de son côté, a été géniale. Quand nous sommes rentrés dans sa salle, elle était au bureau, elle qui virevolte toujours, d'habitude. Elle a attendu que nous soyions installés. Nous avions sorti nos trousses et nos classeurs très vite, parce qu'elle n'avait pas l'air dans son état ordinaire.

– Bonjour ! Beaucoup sont déjà au courant. Patrice a perdu sa sœur, dans un terrible accident. Je propose que nous en parlions, ensemble, si vous le voulez. Un tel événement ne peut laisser indifférent. Votre camarade est en train de vivre une expérience douloureuse. Il doit être très malheureux. Après nous reviendrons au cours, à la vie. Tu es d'accord, Patrice ?

Je l'aurais embrassée !

Enfin quelqu'un qui se doutait que je pouvais être très malheureux !

Si elle savait.

Ma sœur me manquait.

Pimbêche, d'accord. Mais ma frangine, tout de même.

La maison paraissait déserte. Plus rien n'était comme avant chez nous. Maman pleurait à longueur de journée. Papa se fripait, exténué. Les nuits sans repos s'accumulaient. Pire que tout : mes parents ne se chamaillaient même plus.

12

Ce jour-là, à la rentrée de février, Violette a tenté de me parler, dans la cour. Elle tournait autour de moi. Je me souviens d'une de ses phrases, qui a mis le feu aux poudres.

– Patrice !

– Oui ?

– Tu n'es pas tout seul, tu sais !

J'ai cru qu'elle se moquait. Je l'ai repoussée :

– Oh, ça va !

Elle a tourné les talons. Je la trouvais superbe, avec ses boucles flottant au vent. Mais qu'elle se joue de moi, franchement, ce n'était pas le moment. Ça m'avait paru dégoûtant ! Je n'aurais pas osé lui faire un coup pareil, moi, surtout en ces circonstances.

Alors que certains m'évitaient, mal à l'aise, sans savoir quoi dire, elle tentait de me distraire. Comme un imbécile, je ne l'ai pas compris. C'était la fille la plus jolie du collège et elle me parlait… Je pensais qu'elle se moquait de moi. Si elle avait dit ces mots à Ismaïl, j'aurais décrypté que c'étaient des avances directes. Lui était mignon, pas moi.

Heureusement, elle n'est pas rancunière !

Vers les vacances de Pâques, il y a eu la boum chez Vincent. Maman ne voulait pas que j'y aille. Je les ai entendus se disputer, papa et elle, à ce sujet.

– Tu crois qu'il sera en sécurité ? a-t-elle demandé d'une voix inquiète.

Mon père a volé à ma rescousse.

– C'est de son âge !

Au moins là, ils ont pu se quereller pour de bon. J'ai profité du déferlement des mots d'oiseaux pour m'éclipser.

Quelle fête !

On a gigoté, sauté, hurlé. On a bu du soda à s'éclater la panse. Et puis, au moment des slows, Violette est venue vers moi :

– Tu danses ?

J'ai rougi. Ça me faisait des trucs partout partout. C'était vraiment génial. Soleil printanier, sans nuage.

Sauf qu'en rentrant, j'ai recommencé à traîner mon ennui dans une maison atteinte de sinistrose. Grisaille, brouillard, blizzard à l'horizon.

Maman ne me laissait plus sortir. Angoissée tout le temps.

– Fais bien attention ! Regarde avant de traverser : à gauche, à droite, à gauche de nouveau.

Elle imaginait que j'avais quatre ans ou quoi ?

J'en voulais sourdement à mon père, je ne savais pas trop pourquoi. On s'envoyait des vannes salées.

– Tu vas te coucher, Pat ?

– D'abord je m'appelle Patrice. Je ne vois pas pourquoi tu écorches mon nom.

– Ce n'est pas une raison pour me répondre !

– Va te faire voir…

– File dans ta chambre !

Je tapais des pieds.

– Quel insolent !

À midi, je fabriquais des boulettes de mie de pain, que je jetais par terre. Personne ne me le reprochait.

Nos discussions dégénéraient. Parfois, avant la fin du repas, j'écartais mon assiette, dans un fracas assourdissant. Les yeux baissés, je quittais la table, pris d'un impérieux haut-le-cœur, puis je demeurais à plat ventre, la tête dans mes draps. Sous mon oreiller, je sanglotais longuement, découragé.

13

Début septembre, la maman d'Ismaïl nous a convaincus de consulter un psychologue. Ou un médecin. Un adulte spécialiste. Quelqu'un qui ne soit ni de la famille ni un ami. Pour qu'il soit « neutre ». Efficace. « Sans affect », disait-elle à maman. Moi, j'avais justement besoin d'affection !

À la maison, je me sentais un étranger.

Les grandes vacances avaient été horribles. Nous n'avions pas bougé.

Ismaïl trouvait que je vomissais beaucoup trop : ma maigreur n'était pas normale. En grandissant, je ressemblais à une arête de poisson, à un squelette, avec mes joues creusées. À se demander ce que Violette pouvait me trouver !

La maman d'Ismaïl a insisté pour qu'on y aille ensemble, mes parents et moi.

– J'ai un ami qui propose des thérapies familiales, a-t-elle suggéré.

Parfois les catastrophes soudent les gens.

L'accident aurait pu nous rapprocher.

On avait survécu, mais on se retrouvait tout éparpillés aux quatre coins de nos mal-être respectifs.

La disparition de Julie avait laissé de méchantes cicatrices. Papa n'avait plus goût à la natation, il était devenu bourru. Maman, grise, ne jardinait plus. Et moi… je dérangeais.

Comment retrouver la sève ?

J'avais le sentiment que mes parents m'en voulaient. Je me heurtais à leur silence que je croyais hostile. Si j'essayais de détendre l'atmosphère en racontant ce qu'Ismaïl avait fait pendant le cours de M. Déclas, je souffrais de leurs réactions, pas franchement joyeuses.

J'étais têtu : je tentais chaque jour de briser cette croûte.

En vain.

Je me sentais totalement déplacé.

Nous étions en train de nous enliser atrocement.

Pour le copain de ma sœur aussi c'était compliqué.

Jonathan n'allait pas bien du tout. Son obsession virait à l'accablement. Sa maman n'avait pas accepté qu'il vienne consulter avec nous, comme mes parents le lui avaient proposé.

– Les psychiatres, c'est pour les fous. Mon fils va très bien, il n'est pas dérangé, lui !

Jonathan était à côté de Julie, au moment du choc. Il venait de l'embrasser. Il pensait peut-être qu'il aurait pu éviter le cataclysme, que c'était sa faute ?

Pendant les premiers mois, il s'est acharné à travailler jour et nuit : il a d'abord passé son bac – qu'il a brillamment réussi : mention très bien – puis il s'est investi à fond dans une classe préparatoire de lettres, hypokhâgne.

Jonathan errait dans la cour, pas zinzin pour deux sous ! Simplement traumatisé.

Amputé de moitié.

Si seulement on avait pu rembobiner la vie, repartir en arrière !

Un vendredi matin, il a avalé tous les cachets de la pharmacie familiale. Par chance, il a eu des regrets, juste à temps. Il a expliqué ce qu'il avait ingurgité à son prof de philo, avant de perdre connaissance.

On lui a fait un lavage d'estomac.

Je n'ai pas souhaité aller le voir, à l'hôpital. Rien qu'à l'idée de l'odeur, dans les couloirs, j'avais moi aussi l'impression qu'on m'enfonçait une sonde dans la gorge !

En réalité, ce garçon, à l'époque, je ne le connaissais pas tellement. Quand il est revenu au lycée, l'infirmière l'a convaincu de rencontrer quelqu'un du centre médico-psychologique du quartier. Ce n'était pas notre psychiatre, mais une femme.

Cette dame lui a conseillé de s'inscrire à un atelier de peinture.

En voyant les toiles de Jonathan, j'ai pensé qu'il fallait que je les montre à Mme Galion. Ces couleurs, ces matières, ces cœurs et ces textes, en surimpression, lui plairaient forcément.

Le copain de ma sœur m'a dit qu'il recopiait des poèmes de Julie : ils étaient drôlement chouettes ! Rimbaud n'avait qu'à bien se tenir.

N'empêche, c'était affreux : Jonathan pâlissait à vue d'œil.

Comment aurait réagi Julie si c'était moi qui étais mort ? Elle se serait occupée de Violette ! À l'époque je ne sortais pas avec elle, néanmoins elle aurait deviné. Elle se serait doutée que ma princesse m'aimait.

Elle était psychologue, Julie !

C'est irremplaçable, une grande sœur, parce que ça vous comprend, des fois, alors que vous-même, vous ne savez pas encore certaines choses essentielles.

Elle me manquait souvent.

Avant, on se parlait, le soir. Comme au ski, allongés dans le noir, chacun étendu dans un coin de la pièce.

Alors, à compter des vacances de la Toussaint, je me suis entêté : je suis allé régulièrement vers Jonathan, qui restait seul dans son coin, la pupille terne.

J'ai décidé qu'il allait devenir mon grand frère d'adoption.

Je l'apprivoiserais.

C'était trop triste, de rester enfant unique, pour lui comme pour moi ! Et puis il pourrait me donner des conseils. Je le ferais rire... J'avais besoin de quelqu'un à qui demander de l'aide : Ismaïl était aussi peu expérimenté que moi sur la question des filles, tandis que Jonathan était presque un adulte ! Compétent… Il avait bon goût puisque, après Violette – domaine réservé, chasse gardée ! –, il avait repéré la mieux de sa génération : ma sœur.

Nous ne savions pas quoi nous dire. Mais ça tenait chaud, nos deux solitudes côte à côte.

Au début, il était sur la défensive :

– Il faut sans doute que je te raconte comment je vais mal ?

J'étais déterminé à faire la sourde oreille.

La situation nous rapprocherait.

De toutes les manières, je me réfugiais au collège : c'était une zone protégée, où vivre était encore possible. J'avais besoin de coller des chewing-gums sous les tables, de lancer des bombes à eau depuis le troisième étage. À chaque bêtise, un signe quelconque des copains, un clin d'œil, j'explosais de rire. Presque heureux.

14

Finalement, avec Violette, on était sorti ensemble, à la fin de l'été. Je l'avais invitée au parc municipal. On s'était promené, main dans la main.

C'est le plus beau jour de ma vie.

J'avais des picotements jusque sous la plante des pieds. Et le cœur fougueux ! Après, le soir, impossible de m'endormir. J'ai même commencé un autre cahier, carmin, réservé à notre histoire. J'en ai pris un gros. Avec plein de pages tout de suite. J'étais sûr qu'il y aurait beaucoup à raconter.

Le lendemain, j'ai voulu lui offrir un cadeau.

J'avais réfléchi durant la nuit.

Je suis entré dans la chambre de ma sœur : Maman défendait que l'on déplace quoi que ce soit d'un millimètre. Julie avait un petit cœur en argent avec une jolie pierre mauve, dans une boîte, sur son bureau. Elle ne le porterait plus.

J'ai décidé de le récupérer.

Maman s'est engouffrée brusquement dans la pièce, je ne l'avais pas entendue arriver.

– Ne touche à rien !

Elle m'a parlé comme à un voleur.

– Je t'interdis de toucher aux affaires de ta sœur ! Non mais, tu n'as pas honte ?

Elle sanglotait. J'ai cru qu'elle faisait un malaise : je l'ai aidée à s'asseoir. J'ai essayé de lui faire un câlin.

Elle m'a repoussé.

Après, elle a tenté de s'excuser :

– Je ne voulais pas te peiner, mon Patou. Pardonne-moi !

Elle essayait de me prendre dans ses bras. Moi, j'étais braqué. Ma mère m'agaçait. Rien ne pourrait me calmer :

– C'est écœurant ! J'en ai ras-le-bol, de cette maison ! Qu'est-ce que tu veux ? Que je meure, moi aussi ? je lui ai balancé.

Et je suis sorti en claquant la porte.

C'était avant qu'on aille voir le psychiatre.

Ce jour-là, je n'ai pas fait une fugue. J'avais juste besoin d'air.

Une nécessité vitale.

Je n'en pouvais plus. J'ai foncé chez Ismaïl.

Il a appelé Violette. Je ne parvenais ni à parler ni à pleurer. Les bras croisés, visage fermé, j'étais replié sur moi-même.

Ils se sont alarmés.

La maman d'Ismaïl a dit :

– Ça suffit maintenant !

Elle a téléphoné au docteur Kerkaoui. C'est lui qui s'occupe de nous tous, il habite le quartier.

Que lui a-t-elle raconté ?

À la fin de la visite médicale du judo, il a suggéré à ma mère de rester un moment dans son cabinet, pendant que je retournerais dans la salle d'attente. J'étais certain que lui aussi serait impuissant, face au malheur de maman.

Comme moi.

Il n'y avait que de la surenchère de douleur à négocier.

Elle est sortie, les yeux tout rouges.

En rentrant, elle a longuement parlementé avec Papa. J'entendais des bribes, sans le faire exprès :

– Parce que tu crois que…

– De quoi elle se mêle, celle-là !

– Si on pouvait…

– Ce toubib, on voit que ce n'est pas sa fille qui…

Maman sanglotait.

Nous vivions sous respiration artificielle. Ce fardeau était vraiment trop lourd pour nous. Nous étions arrivés au bout.

Mes parents ne m'ont pas demandé mon avis : ils ont finalement décidé de prendre rendez-vous avec un psychiatre.

15

Au départ, dans mon journal, j'écrivais tout le temps « spyc ». Dyslexique ? *To speak*, en anglais, c'est parler. Eh bien ! c'est exactement ce qu'on a fait chez lui.

Les premières fois, on se taisait plutôt.

Alors le médecin nous a posé des questions, à papa, maman et moi. Il ne s'énervait pas. Il attendait. Il écoutait.

Je trouvais qu'il était franchement sympa.

À lui, j'ai pu avouer comment j'évitais de passer près de la chambre de Julie.

Confidences, allusions, je ne sais pas comment expliquer : je sentais qu'on pouvait lui faire confiance. Il n'a pas connu ma sœur, assurément. Mais un peu quand même. On lui en a tellement parlé ! Réunis ou séparément. Par exemple, on lui a raconté l'accident.

Plein de fois.

Au début, maman pleurait. Papa ne disait rien. Elle ne voulait plus y retourner.

Moi si !

Un mercredi, papa a lâché :

– J'arrête !

Maman a soupiré, les traits tirés. Sa lèvre inférieure frémissait.

Certains jours je me demandais pourquoi on s'y rendait, mais le plus souvent c'était bien. Nous avons colmaté nos fissures, comme disait le psychiatre : on a recollé les morceaux. Il m'a écouté. Mes parents aussi. C'était nouveau, ça !

Petit à petit, nous avons appris à digérer notre sentiment de culpabilité. Inutile de ruminer, de remâcher cette douleur. Julie ne reviendrait pas : elle était morte. Définitivement. Il fallait l'accepter, transformer notre peine, pour supporter son absence.

Nous devions apprendre à vivre sans elle.

Ensemble, on a fait le ménage… On a classé, rangé ! On a étalé, chez le Dr Martellini, notre souffrance. Moi un chagrin de frère, un désespoir de fils. Quotidien assombri.

J'avais perdu Julie.

C'était normal d'en avoir marre, des fois, de sa sœur. Même quand on l'aime !

Cette histoire était là, en nous.

Papa et maman ont réappris à me dorloter. Ils m'ont montré que je n'étais pas insignifiant comme ce que j'avais imaginé. C'en était fini du parasite pourri, présent à la place de la sœur géniale qui aurait dû survivre.

Lentement, ma mère s'est remise à sourire, à cuisiner. Mon père à rire. Bien sûr ça ne s'est pas fait tout seul. Il a fallu du temps !

Retour à la vie normale ?

– Il n'y a pas de norme ! me reprenait le psychiatre.

Et une existence comme avant ?

– Ça non.

Impossible.

Une autre.

Sans Julie.

16

Chez le psy, on a recommencé à nommer ma sœur par son prénom. Julie. Dans le meilleur des cas, avant, on disait « elle ». Sans préciser.

Maman se lamentait sourdement. Parfois « ma fille » lui échappait. C'était une épreuve, un déchirement. Papa se mordait l'intérieur des joues. Mes grands-parents de l'Aveyron soupiraient au téléphone, mais ne l'évoquaient jamais. Quant à mamie Babette, elle tâtonnait : par quel bout prendre le problème. Elle…

Brusquement, le médecin nous interrogeait :

– Et Julie, tu jouais souvent avec elle ?

– Elle mesurait combien, Julie ?

– Quelle était la couleur préférée de Julie ?

On s'est remis à parler d'elle, tout naturellement. Ce n'était pas si difficile.

J'aimais prononcer son prénom.

On a franchi ensemble cette étape, sur le chemin de l'acceptation.

Ce que l'on faisait, tous les trois, réunis, c'était un travail de deuil, nous a expliqué le Dr Martellini.

Lors d'un rendez-vous, en décembre, soudain je me suis mis à pleurer à gros bouillons.

Les larmes m'étaient devenues quasi impossibles, jusqu'ici. Ni de joie ni de peine.

Depuis des semaines, je n'arrivais plus à laisser s'exprimer mon émotion. Ces sanglots m'ont fait du bien. C'était un curieux mélange de chagrin, de soulagement. Du trop-plein. Une effervescence en moi, tout entremêlée.

Mes parents n'étaient pas venus : parfois le psychiatre nous recevait séparément.

J'ai pu raconter l'épisode du cœur que je voulais offrir à ma copine, Violette, la chambre mortuaire, les photos-souvenir, toujours là, au centre de la maison.

À la séance familiale suivante notre médecin nous a expliqué que le deuil ne durait qu'un temps. Il passait aussi par la séparation.

– Il faut apprendre à rompre les chaînes, lorsqu'elles asservissent, a-t-il dit.

Je n'ai pas tout compris mais j'ai senti comme un énorme poids, en moi, qui s'allégeait.

Jonathan aussi allait de mieux en mieux. Nous nous tenions compagnie. Il fréquentait régulièrement le CMP : il continuait de se consolider.

J'avais remarqué qu'il me parlait de plus en plus d'Émilie, la sœur d'Ismaïl. Elle appréciait sa peinture. Et puis… elle lui plaisait bougrement. Je me demandais s'il s'en rendait compte. J'essayais de faire mon possible pour les rapprocher. Lui aussi avait droit au bonheur.

Ismaïl, c'était sa voisine, Clotilde, qui le faisait palpiter.

Pour vider la chambre de ma sœur, nous avons fait les cartons en famille, tous les trois. Et nous avons tout porté à Emmaüs. Même le bijou en forme de cœur. Maman voulait me le donner, je préférais qu'on l'emporte, comme le reste.

Pour Violette, avec mon argent de poche, j'ai trouvé un superbe bracelet neuf, personnel, à la boutique de la rue de Thionville. Multicolore. Elle l'a immédiatement adopté, jamais quitté.

À la maison, dans nos albums, nous avons conservé des photos de Julie. Et nous en parlons, maintenant : autrement.

J'avais une sœur, elle est morte.

Mes parents ne sont pour rien dans son accident, ni le chauffeur du car – cet involontaire chauffard du cœur – qui ne pouvait pas voir la jeune fille surgissant de nulle part, sur l'asphalte.

Ni moi.

17

Le médecin nous a conseillé de partir au ski. Ce n'était pas parce que ma sœur avait été renversée qu'il fallait bouder les vacances.

Elle aurait voulu que l'on vive, certainement. Que l'on rie.

Mes parents se sont consultés du regard. Puis ils m'ont lancé, ouverts :

– Et toi, Patrice, qu'en penses-tu ?

C'est grâce à ça que c'est arrivé.

On avait donné l'intégralité des affaires de Julie. Maman m'avait même proposé d'aménager mon bureau dans sa chambre. Elle était plus spacieuse que la mienne. Papa allait la repeindre, je n'avais qu'à indiquer la couleur. J'hésitais encore.

Pas prêt.

Cela viendrait, sans doute.

Oui, on avait tout vidé. Sauf le placard, à la neige, celui où l'on rangeait notre capharnaüm d'un hiver à l'autre, chez nos amis de Val-d'Isère.

C'est là que je l'ai trouvé.

Sous mes vieilles bandes dessinées moisies. Je les relisais d'année en année, le soir, pelotonné sous la couette.

Au milieu d'un fouillis normal de fille – tee-shirts, bandanas, bagues gondolées en plastique –, Julie avait écrit, en grosses capitales rose fluo :

« INTERDIT DE LE LIRE.

CELUI QUI OUVRIRA CE CAHIER SERA TRANSFORMÉ EN CHAUVE-SOURIS. »

Elle avait ajouté, couleur or, entouré de frises et d'arabesques :

« Journal de Julie. »

Elle avait dessiné quelques têtes de mort au pouvoir maléfique, mais elle avait aussi juxtaposé des tonnes de cœurs, par-ci par-là.

Je n'ai pas pu me retenir de l'ouvrir.

Je me sentais indiscret.

Ses notes les plus intimes étaient là. Elle avait tout consigné.

Ses hantises. Ses débordements de joie. Son angoisse d'avoir de mauvais résultats. Les cartes postales et mots de ses copains. Elle avait eu plein d'amoureux. Même le fils des Delgadez, Yohann ! Le scoop... Mais c'était il y a longtemps, elle était encore petite. J'ai retrouvé la photographie d'Abibatou, sa correspondante d'Afrique, avec ses parents et ses six frères et sœurs. J'ai déniché un ruban orangé, je ne sais ni de qui ni de quoi. Un ticket d'entrée au cinéma. Des papiers : le passe, pour le remonte-pente, quand elle était à l'école primaire.

Plein de riens.

Son écriture me rappelait lorsqu'elle sifflotait, en descendant les pistes. Comment elle repoussait sa mèche rebelle. La lumière, dans ses prunelles.

Surtout, je ne m'attendais pas à ÇA.

18

Ça…

La petite phrase.

Tout en bas d'une page qui avait l'air normale.

La petite phrase sur laquelle je suis tombé.

La phrase qui m'a rendu mon appétit de vivre. La phrase qui a été le sésame : depuis, mon tube digestif supporte n'importe quoi.

Blindé, je suis.

Je peux avaler dix cornets de glace de suite. Plusieurs tablettes de chocolat. Je peux boire quinze litres de Coca.

Je vais bien.

Je suis guéri.

Cette phrase, je l'ai lue, cette année-là, un certain 27 décembre, à Val-d'Isère. C'est simple, c'est le plus beau cadeau de Noël de ma vie.

Ça m'a étonné.

Quand j'ai lu ces mots incroyables, fabuleux, les larmes se sont mises à couler, dru. Le sang s'agitait dans ma tête, dans mes jambes…

Si j'avais su.

Elle aurait pu me le dire avant !

Julie.

Pourquoi fallait-il que je l'apprenne si tard.

Elle m'avait toujours répété :

– Je serais bien plus tranquille sans toi ! Qu'est-ce qui m'a fichu un frangin pareil…

J'aurais juré qu'elle me détestait.

Grâce à son journal, je le sais, maintenant : ma sœur m'aimait bien !

Même plus.

Très fort. Ça au moins c'est sûr.

Elle m'aimait.

Moi aussi !

Il s'était passé tellement d'événements depuis qu'elle avait écrit ces paroles affectueuses. Ma sœur m'aimait.

Je comptais pour elle.

Ma sœur l'avait écrit. J'étais soulagé.

Plus loin, Julie était préoccupée parce que je venais de me faire arracher une molaire.

Elle m'aimait !

Voilà qui me confortait dans mon désir de vivre.

Ce qui était extraordinaire, c'est que ce cahier laissait une trace. Julie n'avait pas disparu totalement. Elle me parlait, là. Je sentais presque son souffle, en déchiffrant ses onomatopées, du genre : Pfffffeuttttt... avec des points de suspension pendant trois lignes.

La veille de mon anniversaire – j'en avais discuté avec le psychiatre –, j'ai pris son journal, puis le mien, le petit carnet émeraude. Je les ai fermés hermétiquement, tous les deux ensemble, avec du scotch.

Et je les ai placés dans une enveloppe.

J'ai recopié l'adresse de l'Association pour l'autobiographie dont m'avait parlé Mme Galion. La Grenette, à Ambérieu-en-Bugey, près de Lyon.

C'est un endroit où l'on peut déposer sa peine. Ils le lisent, ou pas, selon ce qu'on leur demande. J'avais libellé attentivement une lettre détaillée, pour leur parler de Julie, ma sœur, que j'aimais beaucoup.

Leur expliquer.

Je leur suggérais de placer nos calepins dans l'armoire aux secrets. Au moins cinquante ans. Après, on verrait bien.

« Celui qui ouvrira ce cahier sera transformé en chauve-souris » : avec ce message liminaire, seuls de très courageux – qui ne craindraient pas de se transformer en pipistrelle ou en vampire – pourraient un jour y avoir accès.

DANS LA MÊME COLLECTION

Claudine Aubrun
Les Contes de la bisbille

Clotilde Bernos
Aninatou

Marie Bertherat
N, princesse rebelle

Sylviane Doise
La Malédiction de Jack l'Éventreur

Ricardo Gomez
Œil de Nuage

Katherine Hannigan
Ida B.

Marjolijn Hof
Une petite chance

François Leterrier
Rue Charlot

Claire Mazard
Un cow-boy dans les étoiles

Nicole Parrot
Treize étranges histoires

Rosa Amanda Strausz
Un garçon comme moi

RÉALISATION : NORD COMPO À VILLENEUVE-D'ASCQ
DÉPÔT LÉGAL : FÉVRIER 2008
ACHEVÉ D'IMPRIMER EN DÉCEMBRE 2007
SUR LES PRESSES DE RODESA EN ESPAGNE